■ Edition Schott

Joseph Bodin de Boismortier
1689 – 1755

6 Suites
6 Suiten

for Flute solo
für Querflöte solo

opus 35

Edited by / Herausgegeben von
Hugo Ruf

FTR 15
ISMN 979-0-001-09329-3

www.schott-music.com

Mainz · London · Berlin · Madrid · New York · Paris · Prague · Tokyo · Toronto
© 1971 SCHOTT MUSIC GmbH & Co. KG, Mainz · Printed in Germany

VORWORT

Die vorliegenden Suiten von Joseph Bodin de Boismortier wurden erstmals im Jahre 1731 in Paris mit folgendem Titel veröffentlicht:
TRENTE-CINQUIÈME OEUVRE / DE MR. BOISMORTIER / Contenant / SIX SUITES DE PIÈCES / Pour une Flûte traversière seule, / avec la Basse. In einer auf dem Titelblatt abgedruckten kurzen Vorbemerkung sagt der Komponist, daß diese Suiten mit allen notwendigen Ornamenten versehen sind (*„ces pièces sont ornées de tous leurs agréments"*), und daß man sie ohne Baß als Solostücke spielen kann (*„on pourra les jouer sans basse"*).
Unabhängig von den zahlreichen ausgeschriebenen Verzierungen verwendet Boismortier in diesem Opus drei Verzierungszeichen, nämlich +, ⋀⋀ und V. Die ersten beiden Zeichen bedeuten zweifellos Triller; offensichtlich steht + für einen längeren, ⋀⋀ für einen kurzen Triller. Durch das Zeichen V, das bei Hotteterre le Romain einen Vorhalt von unten bedeutet, könnte hier ein Mordent (= ⋀∤⋁) gefordert sein.

Hugo Ruf

PRÉFACE

Les présentes suites de Joseph Bodin de Boismortier ont été publiées pour la première fois à Paris en 1731, sous le titre suivant:
TRENTE-CINQUIÈME OEUVRE / DE MR. BOISMORTIER / Contenant / SIX SUITES DE PIÈCES / Pour une Flûte traversière seule, / avec la Basse. Sur la page de titre, le compositeur signale dans une note préliminaire que «*les pièces sont ornées de tous leurs agréments*» et que l'on «*pourra les jouer sans basse*».
Indépendamment des nombreux ornements écrits en toutes notes, Boismortier utilise dans cette oeuvre trois signes différents pour les agréments, soit +, ⋀⋀ et V. Les deux premiers agréments sont sans doute des trilles. Evidemment + signifie qu'il s'agit d'un trille plus long et ⋀⋀ d'un trille plus court. Il semblerait que le signe V, qui représente chez Hotteterre le Romain une appoggiature inférieure, soit ici un mordent (= ⋀∤⋁).

Hugo Ruf

PREFACE

The present suites by Joseph Bodin de Boismortier were first published in 1731 in Paris with the following title:
TRENTE-CINQUIÈME OEUVRE / DE MR. BOISMORTIER / Contenant / SIX SUITES DE PIÈCES / Pour une Flûte traversière seule, / avec la Basse. In a short note printed on the title page, the composer says that these suites are provided with all the necessary ornaments ("ces pièces sont ornées de tous leurs agréments"), and that they can be played as solo pieces without bass ("on pourra les jouer sans basse").
Apart from the numerous written-out embellishments, Boismortier makes use of three ornaments in this opus, namely +, ⋀⋀ and V. There is no doubt that the first two ornaments signify trills; + evidently means a longer trill, and ⋀⋀ a shorter one. For the sign V, which is translated as an upward suspension by Hotteterre le Romain, a mordent (= ⋀∤⋁) could be suggested here.

Hugo Ruf

Sechs Suiten

Herausgegeben von
Hugo Ruf

Joseph Bodin de Boismortier
opus XXXV

Première Suite

e-Moll/mi mineur/e minor

Prélude

Allemande

Rondeau «Les Charites»

Gracieusement

(mf)

4

«L'Emerveillée»

Gaiment

Gavotte

Menuet

Deuxième Suite

G-Dur/Sol majeur/G major

Joseph Bodin de Boismortier
opus XXXV

Herausgegeben von
Hugo Ruf

Prélude

Musette en Rondeau

Gracieusement

(mf)

Gigue

Rigaudon

2.ᵉ Rigaudon

(Rigaudon I D.C.)

9

Herausgegeben von
Hugo Ruf

Troisième Suite

g-Moll/sol mineur/g minor

Joseph Bodin de Boismortier
opus XXXV

Prélude

Lentement

Courante

Rondeau

Gravement

Autre Rondeau

Gaiment

Sarabande

Gavotte

Herausgegeben von
Hugo Ruf

Quatrième Suite

D-Dur/Ré majeur/D major

Joseph Bodin de Boismortier
opus XXXV

Prélude

Lentement

Air

Gaiment

Rondeau

Gaiment

Air

Doucement et mesuré

Musette

Herausgegeben von
Hugo Ruf

Cinquième Suite

Joseph Bodin de Boismortier
opus XXXV

h-Moll / si mineur / h minor

Prélude

Lentement

Bourrée en Rondeau

Rondeau

Gracieusement

Fantaisie

Herausgegeben von
Hugo Ruf

Sixième Suite

A-Dur/La majeur/A major

Joseph Bodin de Boismortier
opus XXXV

Prélude

Lentement

Allemande

Modérément

Ramage

Doucement

Gaiment

Menuet

1er Menuet D.C.

Schott Music, Mainz 42 821